JN214495

安房直子 絵ぶんこ6

ひぐれのお客(きゃく)・初雪(はつゆき)のふる日(ひ)

安房直子 文　松村真依子 絵

ひぐれのお客(きゃく)

裏通りに、小さいお店がありました。

ボタンや、糸や裏地を売っているお店でした。

ここにくるお客は、たいてい、近所のお母さんたちです。それから、編みもののすきな、若い娘さんたちです。

「こんにちは。白のカタン糸ください。」

「小さい貝ボタンを、七つください。」

「緑の中細毛糸、五百グラムください。」

そんなことをいいながら、なじみのお客が、つぎつぎに、ガラス戸をあけて、やってきます。

「はいはい、まいど。」
お店の主人の山中さんは、そのたびに、にっこりわらって、天井までとどきそうに高いたなから、緑の毛糸を、とりだしたり、ひきだしから、貝ボタンを七つとりだして、小さな袋に入れてあげたりするのでした。山中さんは、編みものや洋裁のことは、よく知っていました。この商売をはじめて、そろそろ十年になりますから、セーターひとつ

つくるのに、毛糸が、どれぐらいいるかとか、服を一枚ぬうのに、裏地は何メートルいるかとか、やわらかい絹をぬうときのミシン糸は、何番がいいかとか、そういうことは、町の奥さんたちよりも、ずっと、くわしいのでした。

ところが、ある日のこと、この店に、めずらしいお客がやってきて、とてもすてきなことを、教えていってくれたのです。

あれは、冬のはじめの、ひぐれどきでした。

山中さんは、レジの前の小さないすにこしかけて、夕刊をひろげていました。おくの台所では、奥さんが、夕食のカレーを、こしらえていました。柱時計が、ゆっくりと六時をうって、もうそろそろ、ごはんの時間かなと、思ったとき、ガラス戸がほそくあいて、

「こんにちは。裏地をください。」

と、だれかがいいました。

「はいはい、まいど。」

山中さんは、新聞をやめにして、ひょいと顔をあげましたが、だれも見えません。山中さんは、立ちあがりました。でも、やっぱり、だれも見えません。おかしいなと思って、戸口のほうへ、二、三歩すすんでいきますと、これはまあ、しきいのところに、まっ黒い猫が、まっ黒いマントを着て、立っていたのです。

「こんにちは。」

と、猫は、もういちど、あいさつしました。緑色の目は、エメラルドみたいで、その目にじっと見つめられたとき、山中さんは、胸がドキドキしてきました。こりゃ、たいへんなお客がきたもんだ、と思いました。

「あんた、どこの猫だい？」

と、山中さんは、たずねました。すると、黒猫は、ひと息に答えました。

「はい、北町中央通りの、魚屋の猫です。」

「北町中央通りだって？　そりゃまた、ずいぶん遠くから、やってきたもんだね。バスかい？　それとも、電車できたのかい？」

「はい、こがらしにのってきました。」

山中さんは、ぷっと、ふきだしました。それから、おかしいのをがまんして、

「なんだって、そんな遠くからきたんだね。」

と、たずねました。すると、猫はひと息いれて、こんな話をしました。

「じつは、南町の裏通りに、とってもいい裏地屋さんがあるって評判ききましてね、それでぼく、きたんです。品物の種類が多いだけじゃなくて、ご主人が、とても親切で、どんなことでも相談にのってくれるって、町の奥さんたちの評判なんです。」

山中さんは、肩をすくめました。

裏通りの、こんなちっぽけな店のうわさがバス停五つもさきの町までつたわるものでしょうか……でも、わるい気はしませんでしたから、山中さんは、にここわらって、

「それで、いったい、なにがほしいんだい？」

と、たずねました。すると猫は、マントを、ひらりとひるがえして、店の中にはいると、

「じつはね、この黒いマントに、赤い裏をつけたいと思いましてね。」

と、いうのです。猫のマントは、上等のカシミヤでした。

「なかなかりっぱなマントだね。」

と、山中さんがいいますと、猫はいくども、うなずいて、

「ええ。ことしの冬は、とくべつ寒いって聞きましたんでね、思いきって、あつらえたんです。ぼくは、とびきりの寒がりなものですから。ところが、きのう、気象庁発表の長期予報を聞いてましたらね、そのうち、シベリヤ寒気団ってのが、やってくるそうじゃありませんか。そんなおそろしいやつがやってきたら、ぼくはもう、こごえて死んでしまいます。それで、決心したんです。このマントに、裏地をつけようって。」

「なるほど、裏をつけりゃ、いくらか、あったかくなるけどね……。それじゃ、こんなの、どうだろう?」

山中さんは、裏地のたなから、オレンジ色の布をひと巻き、とりおろしました。

すると猫は、けたたましい声で、さけびました。

「ベンベルグはこまります。あれは、しゃらしゃらしていて、はだざわりがよく

ありません。百パーセントの絹にしてください。」

「ぜいたくなこと、いうんだなあ。」

山中さんはあきれて、こんどは、すみっこのたなから、絹をとりだしました。

すると猫は、その布を見つめて、

「色がいけません。」

と、いいました。山中さんは、むっとしました。

「だって、きみはさっき、赤がいいっていったじゃないか。」

「ええ。赤は赤でも、ぼくは、ストーブの火の色がほしいんです。この色は、お日さまの色ですよ。」

「………。」

山中さんが、びっくりして、目の前の布を見つめていますと、横から猫が、ささやきます。

「ちょっと、目をほそめてごらんなさい。ほら、これは、夏の真昼のお日さまの色でしょ。かあっと照りつけて、ヒマワリもカンナも、トマトもスイカも、みいんな、いっしょくたに燃えあがらせる、あのときの色じゃありませんか。」

山中さんは、小さくうなずきました。ああ、そういえば、そのオレンジがかった赤の中には、真夏のまぶしさと、あえぎがありました。

「なるほど、すこし、わかってきた。」

山中さんは、目を、しばしばさせて、うなずきました。猫は、静かにいいます。

「赤は、ぜんたいに、あったかい色ですけどね、そのあったかさにも、いろいろありましてね、お日さまのあったかさ、ストーブのあったかさ、それから、夜の窓にともっている、あかりのあったかさ……これ、みいんなちがいます。それから、ストーブのあったかさにも、薪ストーブと、ガスストーブと、石油ストーブがありますけどね、ぼくは、薪ストーブの感じがすきなんです。薪ストーブが、パチパチ音をたてながら燃えるときのあの感じ。ただ、あったかいだけじゃなくて、こう、心がやすまって、いつのまにか、ふうっと、ねむくなってゆくような感じです。不完全燃焼やら、ガスもれなんか気にしないで、森や林や野原のことを考えながら、安心して眠れる、あの感じは、もう、薪ストーブにしかありませんからねえ。」

「なるほど。」

と、山中さんは、うなずきました。猫のいうことは、よくわかりました。けれども、じっさい、色を決めるとなると、やっぱり、どれにしていいものやら、見当がつかないのでした。

店のたなに、赤い裏地は七種類もありました。オレンジっぽい赤も、ピンクがかった赤も、咲きたての紅ばらのような、深い赤もありました。山中さんが、こまっていますと、猫は、山中さんを見あげて、こういいました。

「おそれいりますがね、七本ぜんぶ、ここへおろして、ならべてみてください。」

やれやれと思いながら、山中さんは、うすい板に巻かれた七種類の裏地を、たなからおろして、猫の前に、たてかけてやりました。すると猫は、

「ちょっと、なめてみていいですか。」

と、いうのです。それから、山中さんの返事もきかずに、赤い舌をだして、布のはしっこを、なめはじめました。

「おいおい、そりゃこまるよ。これはみんな、売りものなんだから。」

けれども猫は、緑の目で、ちろりと山中さんを見て、

「なあに、心配いりません。猫のつばは、すぐかわきます。」

といって、たちまちのうちに、七本の裏地のはしっこを、みんななめてしまいました。

なめられて、小指の先ほどずつぬれた裏地のはしっこは、それぞれが、濃い色になりました。すると猫は、そこのところを、はじから、くんくんにおいをかいでみたり、耳をつけてみたり、そっとさすってみたりしました。そうして、さんざんしらべたすえに、まん中に置かれた、いちばん濃くて、いちばん深い赤の前に、立ちどまったのです。

「これだ、これだ。これこそ、薪ストーブの火の色だ。」

「………。」

山中さんは猫が決めた裏地を、また、じっと見つめました。が、どうもぴんときませんので、猫のまねをして、はじから順々に、においをかいだり、耳をつけてみたりしました。

すると、すこし、わかってきたのです。

はじっこの、ピンクがかった赤の裏地からは、いいにおいがしました。それは、野ばらや、梅のような、小さな花の、やさしいあまいにおいです。山中さんは、大きな息をすって、そっと目をつぶりました。すると、まぶたの裏に、見わたすかぎりのスイトピー畑が、うかんできたのです。スイトピーたちは、風にゆれながら、口ぐちに、ねえ、ねえ、と呼びかけてきます。それから、いっせいにわらいました。まるで、たくさんのタンブリンを、いちどにふったときのような、やさしい、はなやかな笑いでした。

「どんな感じがします？」

と、猫に聞かれて、山中さんは、答えました。

「これはねえ、花畑にまよいこんだみたいな感じの色だよ。いやに、うきうきするねえ。」

ふんふんと、猫はうなずきました。

「いい調子です。だんだんわかってきましたねえ。これは、ふんわりしていい色ですが、マントの裏には、むきません。こんなのつけたら、いつでもだれかにささやきかけられてるみたいでおちつきませんよ。それじゃ、これは、どう思います？」

猫は、そのとなりの、紫がかった赤を、指さしました。

「うん。これは、しぶいから中年むきだ。」

と、山中さんがいいますと、猫は、さもけいべつしたように、ひげをふるわせて、

「いけませんねえ、そういう決め方は。わたしがなめたところを、ようく見るん

です。耳をつけて、音を聞くんです。ちゃあんと、やってみてください。」

と、いいました。山中さんは、しぶしぶ、いわれたとおりにしました。それから、つぶやきました。

「どうもねえ、この色は、頭が、くらくらするよ。お酒のまされて、いいぐあいに、だまされたみたいな感じだ。」

山中さんは、自分が、ぶどう酒のびんの底にでも、すわっているような気がしてきました。びんの底の山中さんは、すっかりよっぱらって、頭のてっぺんから足の先まで、もう、ぶどう酒色に染まっているのです。そして、そのくらくらする頭で、ふっと気がつくと、どこからか、マンドリンの音が聞こえてくるのでした。マンドリンはしゃらしゃらと、古びた音をたてていました。

それは、山中さんの知っている曲でした。けれどもいま、山中さんは、どうしてもその題を思いだすことができないのでした。

「あれは、なんの歌だったろう……。」

はなやかで、楽しそうで、そのくせ、最後には、ふっと涙ぐみたくなるようなその曲は、くりかえしくりかえし、聞こえてきます。

「どうも、へんに、悲しくなるねえ。」

と、山中さんはつぶやきました。すると、耳もとで、猫の声がしました。

「そうなんです。ぼくも、そう思うんです。」

山中さんが、はっと気がつくと、目の前で、猫は、しきりにうなずいていました。

「まあ、たまに、こんなの着るのもいいけれど、いつもいつもじゃ、やりきれません。だから、ぼくは、やっぱり、こっちの色が、いちばんぴったりだと思うんです。」

そういいながら、さっき自分が指さしたまん中の裏地の前に立ちました。

「どうです？　この色。」

山中さんは、その裏地を、あらためて、ためしてみました。

すると、その布地からは、かすかに、薪の燃える音がしました。それから、かわいた木のにおいもしました。さわってみると、ほんのりと、いい感じに、あたたかいようでもありました。

「ほら、こうしていると、炎が見えるでしょう？」

猫にいわれて、山中さんは、目をほそめて見ました。するとほんとうに、布の中に、小さな炎が見えてきました。炎は、とろとろと、静かにゆらめきながら、すこしずつ、すこしずつひろがってゆきます。

山中さんは、静かにうなずきました。

「なるほど、わかるよ。寒くて悲しくて、ほんとにもう、やりきれないようなときに、この色につつまれたら、救われるかもしれないなあ。この赤は、あったかいだけじゃなくて、おちついた、やさしい色だよ。」

猫は、満足そうにうなずいて、

「やっと、わかってくれましたね。それじゃ、これを、三十三センチ切ってください。」

と、いいました。山中さんは、長いものさしと、はさみを持ってきて、その裏地を、ぴったり三十三センチの長さに切りました。そして小さくたたみながら、

「だけど、いったい、だれがぬうんだね。裏をつけるのはけっこうむずかしいんだよ。」

と、いいました。すると猫は、耳をぴくりと動かして、

「家内にぬわせます。家内は、むかあし、洋裁学院の猫でしたから。」

と、答えました。それから、裏地のつつみを受けとって、まじめな顔で、おいくらでしょうと、聞きました。山中さんは、ソロバンをはじいて、

「五百円です。」

と、いいました。猫は、マントの中から、ちょっきり五百円のお金をとりだして、うやうやしく、山中さんにわたしました。そしてこういいました。

「これで、救われました。おかげさまで、この冬は、生きのびられそうです。」

おじぎをひとつして、帰っていこうとする猫のうしろ姿にむかって、山中さん

は、上きげんで呼びかけました。

「おい、すこしゆっくりして、夕食でも食べていったらどうだい。うちは、今夜は、カレーだよ。」

すると猫は、戸のところでふりむいて、

「せっかくですが、えんりょさせてください。」

と、ていねいに、ことわりました。

「あんな、からくて、しつこいものは、ぼくの口にあいません。こんど、ブイヤベースでも、こしらえたときに、よんでください。」

猫は、黒いマントをひるがえして、店を出ていきました。

(あきれたもんだ!)

山中さんは、首をすくめて、だしっぱなしの裏地を、かたづけにかかりました。

「赤は赤でも、薪ストーブの赤か……色っていうのは、ふしぎなものだな。」

ひとりごとをいいながら、山中さんはふと、ほかのさまざまの色のことを、考えました。

　店のたなには、まだまだ、たくさんの裏地があります。海の色をした裏地も、矢車草の色をした裏地もあります。レモンの黄色も、菜の花畑の黄色もあります。四月の森の色も、八月の森の色もあります。

　どの色も、どの色も、いまは静かにねむっていますが、とりだしてひろげてみれば、みんなそれぞれの歌とかおりをもっているように思われました。そのひとつひとつを、山中さんは、またあの猫といっしょに、ゆっくりためしてみたくなりました。

「またこいよ。こんど、ほんとに、ブイヤベース、ごちそうするからさ。」

と、山中さんは、つぶやきました。すると、なんだかとても楽しくなってきて、山中さんは、ひとりでいつまでも口笛を吹いていました。

初雪のふる日

秋のおわりの寒い日でした。

村の一本道に、小さな女の子がしゃがんでいました。女の子は、うつむいて、地面をながめていました。それから、首をかしげて、ほうっと、大きな息をつくと、

「だれが、石けりしたんだろう。」

と、つぶやきました。その道には、ろうせきでかかれた石けりの輪が、どこまでもつづいていたのです。どこまでも、どこまでも、橋をわたって、山のほうまで。

女の子は、立ちあがって、目をまんまるにして、

「なあんて長い石けり！」

と、さけびました。それから、ろうせきの輪の中に、ぴょんと、とびこんでみま

した。すると、女の子の体は、軽くなってゴムまりみたいにはずんできたのです。

片足、片足、両足、片足……。

両手をポケットに入れて、女の子は、進んでゆきました。石けりをしながら、女の子は、橋をわたりました。キャベツ畑のほそい道を通りました。村でたった一軒の、たばこ屋の前を通りました。

「おや、元気がいいねえ。」

と、店番のおばあさんがいいました。女の子は、荒い息をしながら、とくいそうにわらいました。お菓子屋の前では、大きな犬が歯をむきだしてほえました。それでも、女の子は、進んでゆきました。石けりの輪は、まだまだつづいていたのです。

(こんなに長い石けり、だれがかいたんだろう……。)

とびながら、女の子は、それればかり考えていました。

バスの停留所のあたりまできたとき、ほろほろと、雪がふりはじめました。かわいた粉雪でした。それでも、石けりの輪は、おわりません。女の子は、顔をまっ赤にして、汗をびっしょりかいてとんでゆくのです。

片足、片足、両足、片足……。

空は、どんよりと暗くなり、風もつめたくなりました。雪は、だんだんはげしくふりはじめ、女の子の赤いセーターの上に、ほっほっほと、白いもようをつけました。

（ふぶきになるわ）と、女の子は思いました。

「もう帰ろうかな。」

そうつぶやいたときです。うしろで、こんな声がしました。

「片足、両足、とんとんとん。」

びっくりしてとびながらふりむくと、まっ白いうさぎが石けりをしながら、女の子のあとを追いかけてくるじゃありませんか。

「片足、両足、とんとんとん……。」

よくよく見ると、そのうしろにも、白うさぎ、そのまたうしろにも、白うさぎ……。

ふりしきる雪の中を、もうあとからあとから、白いうさぎがつづいてくるのでした。女の子はびっくりして、目をぱちぱちさせました。すると、こんどは前で声がしました。

「うしろからくるのは、白うさぎ、前を行くのも、白うさぎ、片足、両足、とんとんとん。」

あわてて前を見ると、女の子の前を、やっぱり、たくさんのうさぎが、一列になって、とんでゆくのでした。

「うわあ、ちっとも知らなかった。」

女の子は、夢をみているような気がしました。

「ねえ、どこへ行くの？　この石けりの輪、どこまでつづいているの。」

すると、前のうさぎが、とびながら答えました。

「どこまでも、どこまでも、世界の果てまで。わたしたちみんな、雪をふらせる雪うさぎですからね。」

「ええ？」

このとき、女の子は、ドキッとしました。いつか、おばあさんから聞いた話を思いだしたからです。

初雪のふる日には、北のほうから、白いうさぎが、どっとやってくるのだと、おばあさんはいいました。うさぎの群れは、一列になって山から山へ村から村へと、雪をふらせてゆくのだと。そのはやいことといったら、もう目がまわるくらいで、人の目には一本の白いすじにしか見えないのだと。

「だから、気をつけなけりゃいけないよ。もしも、そのうさぎの群れにまきこまれたりしたら、もう帰ってこられなくなるからね。うさぎといっしょに、世界の果てまでとんでいって、最後には、小さい雪のかたまりになってしまうんだから。」

あのとき女の子は、目を大きく見ひらいて、なんとおそろしい話だろうかと思ったのでした。が、たったいま、自分は、そのうさぎにさらわれてゆくところなのでした。

（たいへんだ！）

女の子は止まろうとしました。つぎの輪の中に、足を入れるのを、やめようとしました。けれどもこのとき、うしろのうさぎがこういいました。

「止まっちゃいけない。あとがつかえる。片足、両足、とんとんとん。」

それだけで、女の子の体は、また、ゴムまりみたいにはずみだし、ろうせきの輪のとおりに、とんでゆくのでした。

とびながら、女の子は、いっしょうけんめい、おばあさんの話を思いだしました。あのときおばあさんは、針仕事の手をちょっとやすめて、こんなことをいいましたっけ。

「それでもむかし、たったひとりだけ、白うさぎにさらわれて、生きてかえれた子どもが、いたっけねえ。その子は、いっしょうけんめい、おまじないをとなえたのさ。よもぎ、よもぎ、春のよもぎって。よもぎは、魔よけの草だからね。」

それなら、わたしもやってみようと、女の子は思いました。女の子は、とびながら、春のよもぎの野原を思いうかべました。あたたかいお日さまと、たんぽぽの花と、みつばちと、ちょうちょうのことを考えました。それから、大きく息をついて、

「よもぎ、よもぎ……。」

と、いいかけたとき、もううさぎたちは、声をそろえて、自分たちの歌をうたいだしたのです。

ぼくたちみんな雪うさぎ
雪をふらせる雪うさぎ
うさぎの白は、雪の白

片足、両足、とんとんとん

女の子は、いそいで耳をふさぎました。が、うさぎの歌声は、どんどん大きくなり、ふさいだ指のすきまからつむじ風のようにはいりこんできて、女の子は、どうしても、よもぎのおまじないを、となえることが、できないのでした。

こうして、白うさぎの群れと女の子は、モミの森をぬけ、こおった湖をわたり、これまで一度もきたことのない遠いところまでやってきました。小さな草屋根が、ひっそりとならんだ、谷間の村もありました。さざんかの咲いた小さな町もありました。工場のたくさんある大きな町もありました。けれども、人びとはだれも、うさぎの群れと女の子に気づきません。

「ああ、初雪だ」と、つぶやいて、小走りに通りすぎてゆくだけでした。

女の子は、とびながら、いっしょうけんめい、おまじないをとなえようとするのですが、その声はどうしても、うさぎの歌に、つりこまれてしまうのでした。

うさぎの白は、雪の白
片足、両足、とんとんとん

女の子の手足はかじかんで、もう氷のようになりました。ほほは青ざめ、くちびるは、ふるえていました。

（おばあちゃん、たすけて……。）

女の子は、心の中で、さけびました。

このときです。たったいま片足を入れた輪の中に、女の子は、一枚の葉を見つけたのです。思わずひろいあげると、それは、よもぎの葉でした。あざやかな緑の。そして、裏側には、白い毛のふっくりとついた、やさしいよもぎの葉でした。

（うわあ……だれが？　だれが、落としてくれたの？）

女の子は、よもぎの葉をそっと、胸にあててみました。

すると……女の子は、だれかに、はげまされているような気がしてきました。

たくさんの小さなものたちが、声をそろえて、がんばれがんばれといっているように思えてきました。

そうです。それは、雪の下にいる、たくさんの草のタネの声でした。いま、土の中で、じっと寒さにたえている、草のタネの息吹きが、一枚の葉をとおして、女の子の胸につたわってきたのでした。

「がんばれ、がんばれ。」

このとき、女の子の頭に、ふっと、すてきななぞなぞがうかびました。女の子は、目をつぶって、大きく息をつくと、

「よもぎの葉っぱの裏側は、どうしてこんなに白いのかしら。」

と、さけびました。

これを聞いて、前のうさぎの足どりがみだれました。前のうさぎは、うたうのをやめて、ふりむきました。

「よもぎの葉っぱの裏側だって？」

すると、こんどはうしろのうさぎが、ちょっとよろけて、

「どうしてだろうなあ。」

と、いいました。うさぎたちの歌声はとぎれて、足どりも、おそくなりました。

そこで女の子は、ひと息にいいました。

「そんなことは、かんたんよ。あれはみんな、うさぎの毛。野原でうさぎがころがって、よもぎの葉っぱの裏側に、白い毛がどっさり落ちたのよ。」

　これを聞いて、うさぎたちは、すっかりよろこんで、

「そうだ、そうだ、それにちがいない！」

と、いいました。そして、こんな歌をうたいはじめたのです。

　うさぎの白は、春の色
　よもぎの葉っぱの裏の色
　片足、両足、とんとんとん

するとどうでしょう。

この歌にあわせてとびながら、女の子は、花のにおいをかいだような気がしました。小鳥の声を聞いたような気がしました。あたたかい春の陽を、いっぱいにあびて、よもぎの野原で石けりをしているような気持ちになりました。女の子の体はだんだんあたたかくなり、ほほは、ほんのり、ばら色になりました。女の子は、目をつぶって、大きく息をすうと、夢中でさけびました。

「よもぎ、よもぎ、春のよもぎ！」と。

気がついたとき、女の子は、たったひとりで、知らない町の知らない道をとんでいました。前にもうしろにも、うさぎなんか一匹もいません。ほろほろと雪の舞う一本道に、もう石けりの輪はなく、そして、女の子の手の中の、よもぎの葉も、消えていました。

（ああ、たすかった）と、女の子は思いました。けれどもこのとき、女の子の足は、もう棒のようで、動きませんでした。

どこからかやってきた、見知らぬ女の子を町の人びとが、とりかこみました。そして、名まえや住所をたずねました。女の子が、自分の村の名まえをいうと、人びとは、顔を見あわせて、口ぐちに、とても信じられないと、いいました。いくつも山をこえたそんな遠いところから、子どもが、歩いてこられるわけがなかったのです。このとき、ひとりのとしよりがいいました。

「この子はきっと、白うさぎに、さらわれそうになったのだ」と。

女の子は、町の食堂で、あたたかいものを食べさせてもらい、日の暮れないうちに、バスで送りかえしてもらうことになりました。

安房直子（あわ なおこ）

東京都に生まれる。日本女子大学在学中より、山室静氏に師事。大学卒業後、同人誌『海賊』に参加。1982年、『遠い野ばらの村』（筑摩書房）で野間児童文芸賞、1985年、『風のローラースケート』（筑摩書房）で新美南吉児童文学賞、1991年、『花豆の煮えるまで』でひろすけ童話賞を受賞。1993年、肺炎により逝去。享年50歳。没後も、その評価は高く、『安房直子コレクション』全7巻（偕成社）が刊行されている。

松村真依子（まつむら まいこ）

画家、絵本作家。1985年、奈良生まれ。2009年ボローニャ国際絵本原画展入選。出版物に『あなたはせかいのこども』（ほるぷ出版）『愛蔵版 絵のない絵本』挿絵（岩波書店）『いっぴきおおかみとおほしさま』（小学館）『わたしはしらない』（果林社）など。私家版の絵本も多数制作している。

本書に収録した作品テクストは、下記を使用しました。
「ひぐれのお客」：『安房直子コレクション2 見知らぬ町ふしぎな村』（偕成社）
「初雪のふる日」：『安房直子コレクション7 めぐる季節の話』（偕成社）

安房直子 絵ぶんこ⑥

ひぐれのお客／初雪のふる日

2024年7月30日　初版発行

安房直子・文
松村真依子・絵

発行所／あすなろ書房
〒162-0041　東京都新宿区早稲田鶴巻町551-4
電話03-3203-3350（代表）
発行者／山浦真一

装丁／タカハシデザイン室
印刷所／佐久印刷所
製本所／ナショナル製本

ISBN978-4-7515-3206-5　NDC913　Printed in Japan